Pour Michèle

Données de catalogage avant publication (Canada)
Gay, Marie-Louise
(Good Morning Sam. Français)
Bonjour, Sacha
Traduction de : Good Morning Sam.
Pour enfants.
ISBN 2-89512-299-7
I. Titre. II. Titre : Good Morning Sam. Français.
PS8563.A868G6614 2003 jC813'.54 C2002-941487-3
PS9563.A868G6614 2003
PZ23.G39Bo 2003

Good Morning Sam
© 2003 Marie-Louise Gay
Publié par Groundwood Books/Douglas & McIntyre
Version française
Pour le Canada
© Les éditions Héritage inc. 2003
Tous droits réservés
Texte français : Marie-Louise Gay
Directrice de collection : Lucie Papineau
Dépôt légal : 1er trimestre 2003
Bibliothèque nationale du Québec
Bibliothèque nationale du Canada

Dominique et compagnie
300, rue Arran, Saint-Lambert (Québec) J4R 1K5
Téléphone : (514) 875-0327
Télécopieur : (450) 672-5448
Courriel : dominiqueetcie@editionsheritage.com
Site internet : www.dominiqueetcompagnie.com

Imprimé en Chine
10 9 8 7 6 5 4 3 2 1

Nous remercions le Conseil des Arts du Canada de l'aide
accordée à notre programme de publication, ainsi que la SODEC
et le ministère du Patrimoine canadien.

Gouvernement du Québec – Programme de crédit d'impôt pour
l'édition de livres – Gestion SODEC.

BONJOUR
SACHA

MARIE-LOUISE GAY

Dominique et compagnie

– Sacha ! crie Stella. Réveille-toi !

– Je suis réveillé, bâille Sacha. Enfin presque.

– Je vais t'aider à t'habiller, propose Stella.
– Non, dit Sacha. Je peux le faire tout seul.

– En es-tu certain ?
– Oui, répond Sacha.

– Alors, fais vite ! dit Stella.

–Je fais très vite, dit Sacha.

– Stella ! crie Sacha. À l'aide !
Ma tête a grossi durant la nuit.

– Mais non, dit Stella. Voilà !
– Ouf ! fait Sacha.

– Stella ! crie Sacha. Je ne trouve pas mes sous-vêtements.
– As-tu cherché dans le tiroir ? demande Stella.
– Je cherche, marmonne Sacha.

– Sacha ? Es-tu là ?
– Oui, répond Sacha.

– Stella! crie Sacha. Au secours! Je ne vois rien.
Est-ce déjà la nuit?

– Pas du tout, dit Stella. Tu vois ?
– Ouf ! fait Sacha.

– Stella ! Ma chaussette a disparu !

– Mais non, dit Stella. Elle arrive.

– Stella! Mes chaussures se sont cachées !
– As-tu cherché partout, Sacha ?

– Oui, répond Sacha. Partout.

– Et dans le placard ? demande Stella.

– Stella, au secours! crie Sacha. Je ne peux plus sortir!

—Sacha ? Es-tu là ?
—Non, non, répond Sacha.

– Stella, je suis prêt.
Tu vois, je me suis habillé tout seul !

– N'aurais-tu pas oublié quelque chose, Sacha ?
– Oh ! Mon pantalon !

– Voilà! claironne Sacha. Je suis vraiment prêt, cette fois.
– Enfin! dit Stella. Allons-y.

– Stella ? dit Sacha.
– Quoi encore ? soupire Stella.

– N'aurais-tu pas oublié quelque chose ?

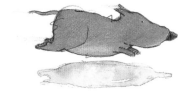